D0283616

Una cuestión de oído

Dirección: *María Alarcón García*
Equipo editorial: *Ana M.ª Maestre y Guadalupe Rodríguez*
Traducción: *María José Guitián*
Diseño de cubierta: *Cristina Martínez-Abarca*

Título original: *Break-in*

ISBN: 84-263-4137-3
Depósito Legal: Z. 2044-99
Talleres Gráficos Edelvives
50012 Zaragoza

Talleres Gráficos
Certificados ISO 9002
Printed in Spain

Hazel Townson

Una cuestión de oído

Ilustraciones de
Gerardo Domínguez

Para Greta Short

1. Oídos sordos

—¿POR qué no me ESCUCHAS? —le gritó la señora Butler a su hijo, Jack—. ¡Nunca me escuchas! O si lo haces, te entra por un oído y te sale por el otro. Te he dicho que no vuelvas a ponerte esa camiseta, se está cayendo a trozos. ¿Dónde está ésa tan bonita de Supermán que te compré la semana pasada? —y girándose hacia el padre de Jack, añadió—: No sé por qué me molesto en hablar con este niño. ¡Nunca me escucha!

—¿Qué? —murmuró el padre, absorbido por la lectura del periódico.

No tenía ni idea de lo que su mujer acababa de decir, pero supuso que estaba dándole la lata a Jack otra vez. Echó un vistazo por encima de una página y le dedicó a su hijo un guiño de consolación.

—Me voy a casa de Sam —anunció Jack, enfurruñado.

—¡No, señor, con esa camiseta no! ¿Qué va a pensar la madre de Samantha? Y a ver si dejas de llamarla Sam, con ese nombre parece un chicazo.

—¡No parece un chicazo! Además, a ella le gusta que la llamen Sam; lo del diminutivo fue idea suya —protestó Jack con energía—. Y no voy a ponerme esa horrible camiseta de Supermán. Es de crío. Las demás madres no obligan a sus hijos a llevar cosas que odian, no; dejan que ellos mismos elijan su ropa.

La señora Butler contempló a su hijo con indignado asombro.

—¿Qué has dicho?

De repente, Jack perdió los estribos.

—¡Si no sabes qué he dicho será porque no me escuchas! ¡Nunca me escuchas! —chilló, echando a correr. Y desde la seguridad que le daba estar ya en la puerta, añadió con insensato atrevimiento—: Te entra por un oído y te sale por el otro.

Jack Butler normalmente no se portaba tan mal. ¿Qué porras le había ocurrido? ¡Debía de haberse vuelto loco! ¡Mira que buscarse líos así! Además, cuando se hubo calmado un poco, admitió que su madre tenía razón; no siempre oía lo que le decían, en parte porque generalmente estaba tocando la armónica. Aunque esa mañana no la había tocado y pese a todo no había oído ni una palabra sobre camisetas.

Ahora que lo pensaba, su madre siempre pronunciaba frases como: «¿Qué acabo de decirte?», o: «¡Nunca me escuchas!». ¿Realmente se perdía tanto de lo que decían? ¿Le pasaría algo en los oídos? ¡Qué faena! ¿Y si acababa por no oír la música de su armónica? ¿O la contagiosa risa de Sam? ¿O *Los 40 principales*? ¿O la inconfundible melodía de la furgoneta de los helados?

Pero bueno, aún podía oír el mar. Subiendo con dificultad por las dunas, Jack alcanzó el largo y pálido trozo de playa, que estaba desierta, corrió hasta la orilla y tiró una piedra a una ola que se acercaba.

¡Glub! Eso también lo oyó. Además de los graznidos de un par de gaviotas y de los lejanos ladridos de un perro.

¿Sería culpa de la armónica? Su madre repetía constantemente que su personal estilo interpretativo acabaría por destrozarle los tímpanos, así que quizá también le estuviese afectando a él. Sacó el instrumento de un bolsillo y tocó una tonadilla experimental que se mezcló violentamente con el ruido del agua y provocó la huida de un aterrorizado alcatraz. Pero no, no se debía a eso; sus oídos seguían igual.

Bueno, entonces tal vez fuese culpa de su cerebro. ¿Estaría sufriendo pérdidas de conocimiento?, ¿de memoria? Quizá tuviese un tumor cerebral o cualquier otra enfermedad fatal que la enfermera del colegio, obsesionada con los piojos, no hubiese apreciado.

Jack paseó hasta las rocas, se sentó en la

que era más plana y se acomodó para pensar. Por primera vez en su vida estaba seriamente preocupado. ¿Estaría enfrentándose a un auténtico problema médico o se trataría más bien de una simple cuestión de estrés? Acababa de decidir que confiaría en Sam (quien no sólo era su mejor amiga, sino la chica más lista de todo el colegio), cuando de pronto una voz llamó su atención.

—¿Vas a escucharme o no? —exigía la voz, muy irritada.

¿Estarían jugándole otra mala pasada sus oídos? Por allí no había nadie. Jack echó un vistazo a la playa, que continuaba desierta, pero la voz reapareció.

—Es una idea genial. ¡A ver si te animas un poco y me escuchas!

El sonido procedía de las rocas que estaban a sus pies. Jack se animó un poco. Se levantó y miró a su alrededor, pero no había nadie a la vista. Trepó hasta un punto más alto y observó la playa una vez más. Absolutamente nadie, lo que no era muy raro un lunes por la mañana.

Después se sentó de nuevo, temblando de pánico. Su afección era más grave de lo que había pensado, ¡estaba alucinando! A no ser, claro, que aquella voz perteneciese a un invisible ángel de la guarda que pretendiese ayudarlo. Jack recordó las espantosas imágenes de ángeles gigantescos que inundaban las paredes del local de la catequesis y no supo decidir qué idea era más inquietante. Pese a todo, prestó la mayor atención posible.

—¡Mira, se me está acabando la paciencia! —continuó la misteriosa voz—. Aquí estoy con una estupenda solución a tu problema, y tú venga a ignorarme. ¡Lo mínimo que podías hacer es escuchar!

Así que esta vez Jack Butler se concentró con todas sus fuerzas y escuchó. Lo que oyó le pegó el susto más grande de su vida.

2. A palabras necias...

SAMANTHA Platt también tenía problemas en su casa. El novio de su madre, al que ella y Jack llamaban Billy *el Abusón,* estaba dándole órdenes otra vez.

—Creo que deberías olvidarte de esa nueva amiga tuya —le decía—. Vive demasiado lejos.

La amiga en cuestión era Amanda Ross, a la que Sam había conocido durante una visita escolar a una mansión. El colegio de Amanda había coincidido allí con el de Sam y se habían unido en el recorrido guiado. Sam y Amanda empezaron a charlar y en seguida se cayeron bien. Compartieron la comida y permanecieron juntas hasta el final de la visita. Después de todo aquello, resultaba natural hacer planes para verse en vacaciones y conocerse mejor.

—Ven a pasar un día a mi casa —la invitó Amanda.

Aunque Amanda vivía a casi treinta y dos kilómetros de distancia, Sam estaba segura de que su madre la llevaría en coche.

Amanda le apuntó a Sam su número de teléfono en la palma de una mano y le contó que su casa era distinta a las que había en la costa. Estaba en el campo, bastante lejos de cualquier sitio.

—Pero tu madre la encontrará sin dificultad; seguro que tiene un mapa. Dime a qué hora llegaréis y saldré a buscaros.

A la señora Platt le pareció bien la idea y planearon el viaje para el día siguiente. Pero Billy *el Abusón* lo había descubierto y estaba decidido a impedirlo.

—¿No comprendes que esa casa está muy lejos? Tu madre no tiene tiempo de dar vueltas por el campo simplemente porque tú quieres pasar un día fuera. Además, me gustaría saber por qué esa niña es mejor que los niños de nuestro pueblo. Hasta ahora has sido feliz con ellos, ¿no? Creía que Jack Butler era tu mejor amigo.

—¿Es que sólo puedo tener un amigo? —saltó Sam enfadada.

En este punto, la señora Platt, temiendo una gran discusión, intervino tímidamente:

—No me importa llevarla, Billy. ¡De verdad, no hay ningún problema!

—Pues a mí sí que me importa. Hoy día resulta muy peligroso que una jovencita vaya sola a un sitio extraño lleno de desconocidos. Esa gente vive a un montón de kilómetros de la civilización; podría suceder cualquier cosa. Además, quizá yo necesite el coche.

—¡Ajajá, ahora llegamos a la verdad! —exclamó Sam con aire de desprecio.

Frunciendo el entrecejo con un gesto de advertencia hacia su hija, la señora Platt intentó suavizar la situación.

—No está tan lejos, Billy. Podría llevarla y regresar en una hora.

—¡Ja! ¡Eso con mucha suerte! Ya sabes cómo está el tráfico, y una vez que pases

Benswick las carreteras son de un solo sentido. Tendrás que preguntar continuamente. Y no olvides que debes recogerla luego, atravesando Benswick en plena hora punta. Y ya sabes lo que eso significa: embotellamientos, enfados y hombres achispados por las comidas de negocios. No hay más que hablar.

—Puedo volver a casa después de la hora punta —sugirió Sam.

—¡Eso es lo más egoísta que he oído jamás! ¡Abusar de la hospitalidad de tus anfitriones y encima arruinar la tarde a tu madre! Ése es el único momento que tiene para descansar un poco.

«Ya, para prepararte la cena y lavarte la ropa, querrás decir», pensó Sam, cuya rebeldía aumentaba por momentos. Si alguien se comportaba como un egoísta, le dijo a Billy, era precisamente él, que estaba estropeando su vida sólo porque por una vez tenía que ir a algún sitio.

—Venga, no exageres, Sam —le advirtió su madre—. Siempre haces dramas de todo. Ese viaje no es tan importante.

—¡Claro que sí! Amanda y yo íbamos a ser amigas para siempre. Pero ahora perderé el contacto con ella y nunca más volveré a verla.

—¡No seas ridícula! ¡Tanto escándalo por una niña a la que apenas conoces! Sólo la has visto una vez —señaló Billy.

—Pues ha sido suficiente.

—Ahí tienes razón, porque NO VAS a recorrer todo ese camino para verla, y se acabó. Ya es hora de que aprendas a aceptar un buen consejo.

Billy *el Abusón* ya había discutido bastante y, por su parte, el asunto estaba zanjado.

La señora Platt, con desgana, intentó intervenir de nuevo, pero al final, como de costumbre, se rindió ante el carácter de Billy y le dijo a Sam que probablemente aquello fuera lo mejor.

—Debes admitir que está un poco lejos, cariño, y aquí tienes buenos amigos. Creo que sería mejor hacer caso a Billy.

—¡Ah, claro! ¡Hagamos caso a Billy! —gritó Sam malhumorada—. ¡Como siempre!

—Billy sólo piensa...

—Yo ya sé lo que piensa Billy —la interrumpió amargamente Sam—. Que esa niña no se divierta. ¡Demostrémosle quién manda en casa!

—¡Samantha! —chilló la señora Platt impresionada—. ¿Cómo has podido decir algo tan horrible?

—¡Lo he dicho porque es cierto! Y os diré otra cosa: Amanda vale más que todos vosotros. Quizá tenga que obedeceros ahora, pero no siempre. Y un día os arrepentiréis de haber sido tan malos conmigo.

—¿Cómo TE ATREVES? —rugió Billy—. ¿Cómo te atreves a hablarnos a tu madre y a mí de esa manera? Te estás poniendo muy descarada últimamente, señorita, y ya es hora de que alguien te de una lección. ¡Ya verás cuando vuelva a casa esta noche...!

A Sam le entró pánico. Había dicho más de lo que pretendía y se había buscado un auténtico enemigo. Billy estaba más enfadado que nunca. Antes que las cosas empeorasen, Sam huyó.

3. Unas rocas encantadas

AL final, Jack descubrió que las voces que oía salían de una larga e irregular grieta que había entre las rocas. En ellas, escondidas en algún lugar a su espalda o bajo sus pies, había unas presencias invisibles cuyos murmullos brotaban amenazadoramente, como el genio de una lámpara mágica. ¿Serían los fantasmas de marineros muertos, cuyos huesos, picoteados por los pájaros, se habían hundido hacía tiempo en la arena? Pero no; a fuerza de aguzar el oído, y con gran alivio, Jack identificó esas presencias como dos seres humanos comunes y corrientes. Uno de ellos incluso estornudó.

Sus nombres resultaron ser Baz y Vic. Estaban hablando muy serios en una cuevecilla que formaban las rocas, resguardados del viento y donde no se les veía desde la orilla. Supuestamente, habían pensado que tampoco se les podía oír. Vic era la persona a quien se repetía que escuchase con atención, y Jack, concentrándose mucho, pronto descubrió por qué. Baz le estaba dando a Vic instrucciones para un trabajo que gradualmente se reveló como el robo de un ordenador en un colegio. Jack no lo captó todo, pero las palabras «colegio», «ordenador» y «miedo» no dejaban de mencionarse, y en un determinado momento Baz levantó la voz y lo explicó muy claramente:

—Es la época perfecta, pues el colegio está cerrado en verano por vacaciones.

Bueno, por allí sólo había un colegio, el Colegio de Primaria de la Costa, al que asistían Jack y Sam. La curiosidad de Jack se convirtió en pesar y luego, cuando se dio cuenta de que estaba oyendo un plan para asaltar su propio colegio, en rabia.

El Colegio de Primaria de la Costa, pequeño y de escasos recursos, sólo tenía treinta y nueve alumnos y un ordenador. Éste era prácticamente nuevo; tan nuevo que la emoción del primer día aún no se había disipado y los niños todavía se peleaban por usarlo.

Para un pequeño colegio de pueblo no resultaba fácil adquirir un equipo tan caro. Lo habían comprado gracias al dinero que los alumnos lograron recaudar haciendo actividades patrocinadas. El propio Jack las había pasado canutas con las ampollas que le salieron durante una marcha, con el hambre en un ayuno y con el aburrimiento en un voto de silencio. Consiguió mucho dinero con ese dichoso silencio, ¡pero casi se le olvidó cómo tocar la armónica! ¿Acaso iba a echarse a perder todo aquel sufrimiento? ¡No, si él podía impedirlo!

Con mucha precaución, se acercó más a la grieta, pero calculó que no podría inspeccionar el escondite de los ladrones sin que éstos lo viesen.

Jack tenía el suficiente sentido común para

no lanzarse insensatamente al peligro, en especial con dos villanos como aquéllos rondando por allí. Pero estaba decidido a salvar el valioso ordenador del colegio. Lo que debía hacer era acudir a la comisaría del pueblo.

La comisaría de Seathorpe estaba instalada en una casita común y corriente en la que vivía el agente local con su mujer y sus dos hijos. Jack pasaba siempre por delante de ella de camino al colegio. Aquel día, como de costumbre, en el jardín de atrás de aquella vivienda con doble personalidad colgaban del tendedero pañales y ropa de bebé; en la ventana de la fachada de la casa, sin embargo, lucía un gran cartel en el que se leía: «SI BEBES, NO CONDUZCAS».

La mujer del agente estaba barriendo el caminito que conducía a la puerta principal, con una nueva y bonita escoba de mango rojo.

—Buenos días, señora Lewis —la saludó Jack con voz entrecortada, sin aliento por la carrera—. ¿Está el agente Lewis? Tengo que decirle una cosa.

—Pues ahora mismo está ocupado, Jack.

Está redactando un informe sobre la desaparición de un perro y tiene que terminarlo. Es importante.

—Esto también. Acabo de descubrir que se va a cometer un delito muy grave.

—¿Cómo? ¿Aquí, en Seathorpe?

La señora Lewis lo miró con cara de risa. A menos que alguien hubiese arrojado al perro a los tiburones, el último delito grave que se había cometido en aquel tranquilo rincón del planeta consistió en escribir con tiza un par de palabrotas en una de las paredes de la iglesia.

—Está relacionado con el colegio —insistió Jack—. Lo van a asaltar.

—Bueno, más vale que entres.

La señora Lewis apoyó la escoba en la verja del jardín y acompañó a Jack hasta la habitación principal, que servía como oficina. Allí estaba sentado el agente, garabateando papeles en su mesa, con una taza de café y, junto a su codo, un panecillo de pasas mordisqueado.

El agente levantó la cabeza sorprendido.

—Vaya, Jack, ¿qué puedo hacer por ti? ¿Vienes a confesar un crimen?

—Jack tiene información sobre un delito muy grave —anunció la señora Lewis, esforzándose por no sonreír.

El agente hizo girar su silla.

—¡Bueno, desde luego, eso animará el día! —exclamó, sonriendo burlonamente—. ¡Venga, chico! No nos dejes con la intriga.

Jack contó su historia con la mayor claridad posible, sin omitir nada. Pero desde el principio resultó obvio que el agente no le tomaba en serio.

—¿Voces fantasmales que salen de una grieta en las rocas? Vamos, ¿seguro que no te has quedado dormido en la playa y lo has soñado todo?

Jack se indignó. Nunca se había quedado dormido en la playa; allí había demasiadas cosas interesantes que hacer. Además, ¿cómo iba a soñarlo, si incluso conocía el nombre de los dos individuos?

—La gente no sueña con nombres —insistió Jack.

—La gente sueña con cualquier cosa, chico, incluso con el primer premio de la lotería, pero eso no significa que el sueño sea real.

—Ya, pues yo no lo he soñado. ¡Los oí de verdad! Oí casi todas las palabras que pronunciaron.

—¿Sólo «casi todas»? Bueno, si efectivamente había alguien allí has debido de afinar mucho el oído... Y, ¿sabes?, mi madre siempre dice que es de mala educación ir por ahí escuchando las conversaciones ajenas. Dice que la gente que hace eso oye campanas sin saber dónde y provoca un montón de líos.

—A mí mi madre siempre me dice que escuche —se quejó Jack, deseando ardientemente que los adultos decidieran de una vez qué querían—. De todas formas, ¿no va a hacer nada?

—Vamos a ver, Jack. Me alegra mucho que estés de parte de la ley, y has hecho bien en venir a contarme tus sospechas. Mantendré los ojos abiertos, pero no creo que haya

necesidad de dinamitar las rocas ni de que las fuerzas especiales acordonen el colegio, ¿no? De hecho, creo que no debes preocuparte. Probablemente no lo notes, muchachito, pero vives en una zona prácticamente libre de delito.

Menos mal que dijo «prácticamente», porque justo en ese instante alguien robó la nueva y bonita escoba que su mujer había dejado apoyada en la verja.

4. El perro desaparecido

«¡QUÉ rollo eso de escuchar!», pensó Jack disgustado. Los Lewis no le habían prestado atención porque desde el principio habían decidido no creerle. Jack se los imaginó rompiendo a reír en cuanto puso el pie en la calle. ¡Bueno, pues se iban a enterar! Él salvaría el ordenador del colegio y, quizá, incluso atrapase a los ladrones. Además, no tendría que hacerlo solo; Sam le ayudaría.

Se encaminó hacia la casa de su amiga, pero se la encontró alejándose de ella a la carrera, tan harta como él. Jack se desanimó. ¿Estaría Sam de humor para escucharle?

Pero Sam no sólo le escuchó, sino que

creyó cada una de sus palabras. Es más, se alegraba de compartir el problema de alguien para olvidarse del suyo.

—Los polis son una pérdida de tiempo —declaró—. A quien debemos contárselo es al señor Cronin.

El señor Cronin era el conserje del colegio, así que primero lo buscaron allí. En vacaciones, normalmente se dedicaba a limpiar las aulas a fondo. Al encontrar el edificio cerrado y desierto, los dos niños se acercaron rápidamente a su casa, pero aquella visita también los decepcionó, pues el señor Cronin no estaba. Su mujer les dijo que acababa de irse a Glasgow, donde al día siguiente se celebraba el funeral de un tío suyo.

—Como está demasiado lejos para ir y volver en el mismo día, se quedará a dormir en casa de su familia. Yo hubiera ido con él, pero con lo de Cameron... Supongo que habréis oído que nuestro pobre Cammy desapareció ayer, ¿no?

Cameron era el perro de los Cronin y de vez en cuando pasaba por el colegio, donde los niños, que lo adoraban, jugaban con él. La señora Cronin estaba muy disgustada por su desaparición.

—Me he quedado en casa por si aparece —les explicó—. Pobre animalito, estoy segura de que le ha ocurrido algo terrible. Hay gente muy rara suelta por ahí. Te robarían el sombrerete de la chimenea si pudiesen venderlo y, al fin y al cabo, nuestro Cammy tiene pedigrí. Pagarían un buen dinero por él. Supongo que no lo habréis visto, ¿no?

Sam y Jack admitieron que no habían visto al perro desde hacía un par de días.

—Pero estaremos atentos —prometió Sam cuando se marchaban.

A Jack le impresionó mucho aquel comentario sobre la gente rara, pues su mente seguía centrada en Baz y Vic. Pensó que el señor Cronin le hubiera creído. Es más, como el conserje responsable que era, si esa noche hubiese estado allí, habría vigilado el colegio con especial cuidado. Y ahora que caía, precisamente por eso habrían aparecido esos dos justo aquel día. Habrían descu-

bierto lo del funeral y contarían con que no iba a haber moros en la costa.

Justo cuando Jack empezaba a desesperarse, Sam exclamó:

—¡Entonces está en nuestras manos! —y después de un minuto de reflexión, añadió—: Preguntémosle a la señora Cronin si podemos coger las llaves del colegio. Luego, podemos poner una trampa. O esconder el ordenador para que nunca lo encuentren.

—Estás de broma, ¿no? Nunca nos dejará entrar solos en el colegio.

Jack tenía razón, a la señora Cronin la horrorizó la idea.

—Oh, no, ¡no puedo daros las llaves! Una de las obligaciones de mi marido es custodiarlas. Y cuando él no está, las llaves se quedan a mi cargo. ¡Es una gran responsabilidad!

—Usted podría entrar en el colegio con nosotros —sugirió Sam—, y así comprobaría que no vamos a causar ningún desperfecto.

A continuación le explicó lo que pretendían hacer.

—¡Válgame Dios, pues a eso yo lo llamo causar desperfectos!

La señora Cronin se horrorizó aún más. Nadie podía tocar el ordenador si no había un profesor presente; ésas eran las instrucciones de su marido. Ni siquiera se le permitía levantarlo para limpiar el polvo por debajo, lo cual le repugnaba bastante. En cuanto a las trampas, resultaban muy peligrosas y además podían atrapar a quienes las preparasen, ¡lo cual les estaba muy bien empleado! Por otra parte, la persona que tenía que tratar con los ladrones era el agente Lewis.

—Ya he hablado con él, pero no me cree —le dijo Jack—. Y no podemos permitir que asalten el colegio, ¿no?

—No te preocupes, no lo asaltarán. Está bien cerrado y hemos conectado la alarma. ¡Te lo aseguro, ni James Bond podría entrar allí!

—¿Te parece eso cierto? —le preguntó Jack a Sam cuando se alejaban con paso cansino, desilusionados.

—Esperemos que lo sea, aunque Billy *el Abusón* dice que nada detiene a un delincuente decidido. ¡Y él debe de saberlo! De todas formas, ahora mismo no sé qué más podríamos hacer. No podemos merodear por el colegio en plena noche cuando se supone que estamos en la cama. Y, además, si lo hiciésemos estaríamos buscándonos un lío. Vete a saber qué nos harían si nos pillasen.

—¿Quieres decir que es mejor dejar que se salgan con la suya?

Jack le recordó a Sam todo lo que se habían esforzado para conseguir el ordenador.

—Bueno, no te desmoralices todavía. Para empezar, el ordenador debe de estar asegurado, así que el colegio podrá reemplazarlo. O quizá se nos ocurra una idea genial.

—Sí, eso es lo que necesitamos, ¡una idea genial!

Jack pensó que si dejaban de darle vueltas al asunto, cuando menos lo esperasen se les ocurriría algo.

Sam llegó a la misma conclusión.

—Vamos a Pearson's a tomar un helado —propuso—. La comida viene bien para las ideas, sobre todo el dulce. De paso podemos buscar a Cameron.

De repente, Jack se acordó de que el agente Lewis estaba investigando la desaparición de un perro, que debía de ser Cameron. Ojalá lo encontraran ellos antes. Quizá entonces empezase a tomarlos en serio.

5. Más voces

PUNTA de Pearson era el nombre de un acantilado que estaba a las afueras del pueblo, con una impresionante vista de la costa desde la bahía de Cowslip hasta Seathorpe. Los turistas se paraban allí a menudo para hacer fotografías y degustar los helados de Pearson's, la cafetería que estaba encaramada en la cumbre.

El día era cálido y soleado y el pequeño local estaba bastante lleno. Pidieron dos especiales de la casa, que servían en copa alta con nata, guinda y sombrilla encima de varios helados multicolores, y estaban escarbando felices con sus largas cucharillas cuando de pronto Jack aguzó el oído. Había reconocido una voz.

—¡Bueno, por fin he logrado que me escuches! —declaró alguien triunfalmente.

Jack se giró poco a poco y miró a la pareja que estaba sentada a la mesa de al lado. Pero no; no podía tratarse de Baz y Vic, porque una de aquellas dos personas era una mujer.

Jack habría perdido el interés en ese momento, si no hubiera sido porque de repente el hombre le dijo a la mujer:

—De verdad, Vic, no tienes ninguna confianza en ti misma. ¿Cuál es el problema? Yo no veo ninguno. No tienes nada que perder, y sí mucho que ganar.

¡Ésa era la voz de Baz, sin duda! Evidentemente, seguía intentando convencer a su compinche. ¿Y por qué ese compinche no podía ser una mujer? Vic podía ser el diminutivo de Victoria. Jack tuvo que admitir que sólo había oído la voz de Vic una vez, susurrando la palabra «Baz». Había deducido que Vic era un nombre masculino, pero, al fin y al cabo, Samantha se hacía llamar Sam.

—¡Eh, son ellos! —Jack le dio un codazo a su amiga y miró de soslayo hacia la mesa en cuestión.

—¿No decías que eran dos hombres?

—¡Dije que se llamaban Baz y Vic! —la corrigió Jack un poco injustamente, mientras la pareja se levantaba y empezaba a alejarse.

—¡Pues entonces, venga! —gritó Sam, brincando para seguirla sin dedicarles ni una mirada más a los especiales de la casa.

Billy *el Abusón* le había estropeado una aventura, pero aquélla no iba a fastidiársela.

Baz y Vic habían dejado una furgoneta blanca en el aparcamiento y estaban entrando en ella cuando los niños llegaron a todo correr.

Como no tenía bolígrafo, Sam se agachó para coger un par de piedras, una pequeña y afilada con la que escribir, y la otra plana. Tras anotar el número de la matrícula, se guardó las dos piedras en un bolsillo mientras la furgoneta se iba.

—Se dirigen a Seathorpe.

—Para mangar nuestro ordenador —añadió Jack tristemente—, y no hay forma de alcanzarlos.

—Yo tengo la matrícula.

—¿Y qué? El agente Lewis no hará nada aunque se la des.

—Quizá no ahora, pero cuando esos dos asalten el colegio podrá seguir su pista, y todo gracias a nosotros. Desde luego, nos deberá una.

Jack sopesó aquella nueva posibilidad.

—¡Puede ser! ¡Y si también encontramos a Cameron...!

Definitivamente, el día estaba mejorando.

Al echar a andar por la carretera, Sam empezó a contarle a Jack su decepción y su pelea con Billy *el Abusón*.

—¿Por qué siempre tenemos que hacer caso a los adultos? —preguntó ella enfurruñada.

—¡A mí me lo vas a decir! —replicó Jack con sentimiento.

Para que los dos se animasen sacó su armónica y comenzó a tocar unos supuestos bailes irlandeses, pero lo único que bailó fue una gaviota aterrorizada. Afortunadamente para Sam, de pronto Jack se detuvo en seco. Porque, cuando menos lo esperaban, doblaron una curva y se toparon con una furgoneta blanca aparcada en un arcén lleno de hierba.

—¡Son ellos! —afirmó Sam tras comprobar que la matrícula coincidía con la que había anotado en la piedra.

—¿Por qué se habrán parado aquí?

—Estarán esperando a que anochezca, imagino. Tú continúa caminando. Si hacemos como que no los hemos visto, no nos prestarán atención.

—No pasa nada; no me vieron en la playa. No saben quiénes somos.

—Pero nosotros sí sabemos quiénes son ellos, y con gente así todas las precauciones son pocas.

Sin embargo, no había por qué preocuparse; Baz y Vic no estaban dentro de la furgoneta. De espaldas a la carretera, avanzaban con dificultad por un embarrado terreno que conducía a la granja Smart. Las puertas delanteras de la furgoneta estaban cerradas. Pero descubrieron en seguida que las traseras estaban entreabiertas, tan sólo un cordón flojo sujetaba las manillas.

—Me pregunto qué habrán robado ya —susurró Jack—. Vamos a echar un vistazo rápido.

Con cautela, los niños se aproximaron más al vehículo.

—Eh, ¿oyes algo? —dijo Jack, quedándose quieto de repente y aguzando el oído.

¿Sus oídos le estaban jugando otra mala pasada o se oía un quejido en la parte trasera de la furgoneta?

—Sí, ahí hay un perro. Probablemente sea un *rottweiler,* ¡así que ten cuidado! —le advirtió Sam a su amigo, mientras éste se dirigía a las puertas.

—Eso no es un *rottweiler.* Suena más a perro pequeño, y estará asfixiado con este calor.

—Qué va; si precisamente para evitar eso

han dejado las puertas entreabiertas. Si tienen cosas robadas ahí dentro, probablemente se trate de su perro guardián.

—¡No, hombre, no! A estas alturas nos hubiera oído y se habría puesto como loco —replicó Jack—. Eh, ¿y si resulta que es Cameron?

Jack se acercó más a la puerta y miró por la rendija.

—¡Es Cameron! ¡Lo han secuestrado! ¡Venga, tenemos que sacarlo de ahí!

—¡Bueno, pues más vale que nos demos prisa!

Jack luchó furiosamente para desatar el cordón y abrió poco a poco las puertas, mientras Sam vigilaba de pie junto a la furgoneta.

—¡Despabila! Se han parado en la granja, pero me parece que ya vuelven. Sí, están cruzando el campo.

—Voy lo más rápido posible.

Finalmente, Jack abrió las puertas de par en par. Cameron, que estaba tumbado en lo alto de un enorme montón de lona sucia, gimió con tristeza e intentó liberarse mientras Jack subía a la furgoneta.

—¡Eh, Sam! ¡Está herido!

Sam corrió al vehículo y vio que el perro llevaba en una pata un improvisado vendaje manchado de sangre y que también tenía el pelo algo ensangrentado. Sam se enfadó tanto que se olvidó de la vigilancia y trepó al interior para echar un vistazo de cerca.

—¡Qué gente más cruel hay por el mundo! ¿Cómo han podido hacerle semejante cosa?

La niña se arrodilló junto al animal y le habló, acariciándolo con suavidad. La cola de Cameron se movió débilmente.

—¡No pasa nada, muchacho, enseguida te sacamos de aquí! —le prometió Sam.

El perro estaba atado con una cuerda a un aro de metal que había en un lateral de la furgoneta.

—¡No puedo deshacer el nudo! ¡Dame la piedra afilada que has cogido antes! —le pidió Jack a su amiga.

El niño comenzó a cortar con fuerza la

cuerda hasta que ésta se deshilachó. Estaba depositando a Cameron en la hierba cuando oyó el sonido de unas voces que cada vez eran más potentes. Baz y Vic casi habían alcanzado ya la furgoneta. Estaban atrapados.

6. Un viaje aterrador

—¡EH! ¡Alguien ha abierto las puertas! —gritó Vic, corriendo hasta la parte trasera de la furgoneta.

Para entonces los niños estaban verdaderamente asustados. Su intención era saltar después de Cameron, pero Baz y Vic habían vuelto demasiado pronto. Seguramente, cualquier intento de fuga acabaría siendo un desastre.

Sólo podían hacer una cosa. Con un rápido y silencioso gesto dirigido a Sam, Jack levantó un extremo de la lona y empezó a reptar bajo ella. Sam lo siguió al instante, y los dos se acurrucaron muy quietos entre los gomosos pliegues, aguantando la respiración y tratando de no aspirar el olor.

En cuanto a Cameron, no tenía intención de quedarse junto a la furgoneta ni un minuto más. Herido o no, estaba tan contento de recuperar la libertad que, pese al dolor, se arrastró hasta la seguridad de la hierba alta.

Vic inspeccionó el interior del vehículo.

—¡Baz! ¡El perro ha desaparecido! Hay sangre en el escalón. ¿Cómo diantres habrá salido?

A Baz no parecía importarle.

—Probablemente mordiese la cuerda o la aflojase de un tirón. Debe de ser más fuerte de lo que pensábamos.

—Pero no ha podido abrir las puertas él solo.

—Quizá se rompiera el cordón. Mira, no podemos perder más tiempo con ese animal, se nos está haciendo tarde. Allá él.

—¡Bueno, como quieras! —exclamó Vic encogiéndose de hombros.

Luego cerró las puertas traseras y subió al

asiento del acompañante. Los niños no tuvieron oportunidad de moverse antes de que la furgoneta se pusiera en marcha.

Allí comenzó un duro viaje a través de carreteras comarcales llenas de baches, durante el cual sufrieron incomodidades y pasaron miedo. ¿A dónde iban? ¿Y qué ocurriría cuando la furgoneta se detuviera? Se dieron cuenta demasiado tarde de que esconderse bajo la lona había sido una idea tan absurda como peligrosa.

Jack se estaba imaginando ya su espectacular funeral (para el cual su llorosa madre lo había vestido con la camiseta de Supermán a juego con sus mallas, su capa y sus botas), cuando la furgoneta se paró con un brusco volantazo delante de una solitaria casa de campo.

Baz le ordenó a Vic que abriese las puertas traseras, preparando así la furgoneta para cargar. «¿Cargarla con qué?», se preguntaron los niños. Luego los dos adultos se acercaron hasta la puerta de la casa.

Tras una breve pausa, primero la cabeza

de Sam y después la de Jack emergieron de la lona.

—¡Rápido! ¡Es nuestra oportunidad!

En ese momento, Jack dejó escapar un estornudo gigantesco que había estado reprimiendo desesperadamente durante los últimos minutos. Luego otro y luego otro.

—¡Cuidado con esa nariz! —susurró Sam angustiada.

—¡Es culpa de este dichoso polvo!

Jack estornudó de nuevo mientras su amiga lo agarraba por un brazo y lo arrastraba hacia la salida de la furgoneta. La niña apenas se podía creer la suerte que habían tenido al dejar los delincuentes las puertas abiertas.

Locos de alivio, saltaron a la carretera y se metieron de cabeza en una espesa arboleda que había frente a la casa.

—¿Dónde estamos?

Jack miró a su alrededor, no tenía ni idea de dónde se encontraban. Más allá de los árboles veía campo y bosque, pero ninguna casa. No había sitio al que ir corriendo en

busca de ayuda. Tendrían que seguir por la carretera en dirección contraria a la que habían llegado.

Jack pretendía ponerse en camino enseguida, pero Sam pensó que primero debían vigilar a los malos para averiguar qué estaban tramando realmente.

—Tenemos que ser buenos testigos si queremos que alguien nos crea y, nunca se sabe, quizá haya una recompensa.

Para entonces Baz había llamado al timbre varias veces sin obtener respuesta alguna. Echó un vistazo por la rendija del buzón que había en la puerta principal y luego inspeccionó el interior de la casa por la ventana delantera. Lo que vio hizo que agarrase a Vic de un brazo para obligarla también a mirar. A continuación cogió una gran piedra del jardín y con ella rompió el cristal de la puerta. Eso le permitió meter un brazo y abrirla, de manera que los dos lograron entrar en la casa.

—¿Qué te había dicho? ¡Son unos ladrones de tomo y lomo! —se pavoneó Jack.

—Pues desde luego está muy bien que nos hayamos quedado, así conseguiremos pruebas de verdad —replicó Sam.

—Pero todavía es nuestra palabra contra la suya, ¿y quién va a creer a dos críos? Qué pena no tener una cámara. Deberíamos largarnos ahora que aún podemos.

—No, vamos a ver qué roban para poder contarlo luego, ¿eh?

Mientras los niños discutían si marcharse o no, Baz reapareció, saltó a la furgoneta y se alejó a toda velocidad, dejando a Vic en la casa.

—Eh, ¿te has fijado en sus manos? —preguntó Jack con voz entrecortada, y pálido de terror, girándose hacia su amiga—. ¡Estaban cubiertas de sangre!

—¡Ahora sí que debemos contarle esto a alguien!

—¿Y a quién, listilla? No hay ni un alma a la vista.

—¡Sí que hay! ¡Allí, mira! Alguien viene andando por ese camino que hay entre los árboles.

Jack miró hacia donde señalaba Sam y distinguió una figura que se acercaba a ellos. ¿Habría, en medio de tantos horrores, alguien en quien confiar?

7. Una historia sangrienta

LA figura que se acercaba resultó ser finalmente la de una niña. Sam pensó que algo en ella le resultaba conocido. Primero fueron sus andares, luego, cuando se acercó más, su pelo y, por último, su cara.

—¡¿Amanda?! —gritó Sam muy sorprendida, corriendo hacia la otra chica.

—¡Hola, Sam! —replicó Amanda, igualmente asombrada—. Creía que venías mañana. No podías esperar, ¿eh?

—Perdona, pero, ¿tú vives aquí?

—¡Pues claro! Te di mi dirección, ¿no?

—Sí, pero yo no sabía dónde estaba. Mi madre iba a traerme en coche, pero luego se dio cuenta de que no podía.

—Bueno, pues si has venido en autobús

te has confundido de parada. Mi casa está a dos kilómetros de aquí. Hay una parada justo delante de la verja.

—No, no hemos venido en autobús; es una larga historia. Jack y yo estamos aquí por casualidad.

Sam presentó a sus amigos y Jack, sin más preámbulos, lo soltó todo. Los habían llevado hasta allí unos ladrones que en ese mismo momento estaban robando en la casa de enfrente y que probablemente habían matado a alguien.

Amanda se asustó mucho.

—Ésa es la casa de la señora Pickering. Es amiga nuestra, una señora mayor que vive sola. Mi madre la visita de vez en cuando para ver si necesita algo de la tienda.

Amanda, aterrorizada, hizo ademán de dirigirse hacia la casa, pero Jack la retuvo.

—Ahora no puedes entrar. Uno de los malos todavía está ahí dentro y el otro puede regresar en cualquier instante. Lo mejor que podemos hacer es llamar a la policía. ¿Dónde está la cabina más próxima?

Amanda se quedó aturdida durante un segundo, pero luego recordó que había una en la carretera, un poco más adelante.

—¡Entonces, venga! ¿A qué estamos esperando?

Sintiéndose a salvo entre los árboles, los niños corrieron tan rápido como pudieron en la dirección que Amanda les había indicado. Cuando estuvieron lo suficientemente lejos de la casa les pareció seguro salir a la carretera, lo cual significaba moverse con mayor rapidez. Los tres estaban sudando y sin aliento cuando divisaron la cabina. Jack iba delante, pensando qué podría decir cuando marcase el teléfono de la policía.

Pero entonces tropezó con un imprevisto. La cabina estaba ocupada. Había un hombre de espaldas; pero si le explicaba lo que ocurría seguramente le dejaría llamar, ¿no?

Cuando Jack agarró el tirador de la puerta, el hombre se dio la vuelta, frunciendo el entrecejo por la intromisión.

¡Era Baz!

8. Oscuras sospechas

EN Seathorpe, el agente Lewis visitó a la señora Cronin llevando en brazos a Cameron, al que había encontrado acurrucado en un arcén, cerca de unas profundas huellas de neumáticos.

La señora Cronin estaba encantada. Recibió al animal con mucha ternura, advirtiendo, con lágrimas en los ojos, que alguien había tenido la amabilidad de vendarle la pata herida.

—Eso es lo que me extraña —reflexionó el agente—. ¿Por qué se molestaría alguien en cuidar del perro, para abandonarlo luego en un lugar en el que quizá nunca se le hubiera encontrado?

—Puede que se haya escapado.

—Pero si no puede andar... Estaba tumbado entre la hierba alta, indefenso, y nunca le habría visto si no llega a ser por esto —el agente sacó de un bolsillo una armónica que había encontrado en el mismo sitio—. El reflejo del sol en el metal me llamó la atención. Entonces, cuando me agaché para cogerla, oí los quejidos de Cameron.

—¡Vaya, ésa es la armónica del pequeño Jack Butler! —gritó la señora Cronin.

En más de una ocasión, su marido le había comentado que, a la mínima oportunidad, Jack se ponía en el patio del colegio a fusilar unas extrañas tonadillas con aquel instrumento. Una vez incluso lo sorprendieron practicando escalas en el cuarto de calderas, componiendo un curioso acompañamiento para los ruidos de las tuberías. El señor Cronin opinaba que desde entonces las tuberías no habían vuelto a ser las mismas.

—Qué casualidad, porque Jack estuvo aquí hace un rato, él y la niña de los Platt, intentando convencerme de que alguien iba a asaltar el colegio. ¡Pues pobres ladrones si se las tienen que ver con el nuevo sistema de alarma! Les conté lo de Cammy y me prometieron que lo buscarían, pero si estuvieron tan cerca de él, ¿por qué no me lo han traído a casa? O al menos, ¿por qué no han venido a decirme dónde estaba? En realidad son buenos chicos y quieren mucho a nuestro Cammy, como todos los niños. No lo hubiesen dejado tirado allí solo.

El agente Lewis se quedó muy pensativo. ¿Habría alguna conexión entre el perro herido, la armónica perdida, las huellas de neumáticos y el extraño rumor de Jack? Decidió llevar inmediatamente el instrumento musical a casa del niño y proseguir la investigación.

La señora Butler le abrió la puerta.

—Sí, ésta es la armónica de nuestro Jack; su padre se la compró hace un par de navidades. Qué pena que la haya encontrado —le soltó—. Pero Jack no está en casa. No ha venido a comer. Me dijo que iba a casa de Samantha Platt, sin embargo aquí no ha regresado y tampoco está allí, porque he telefoneado para comprobarlo. Se han escapado para fastidiarnos, ¡se va a enterar ese jovencito cuando vuelva a casa, se lo juro!

Después de varias preguntas más, la señora Butler admitió que aquella mañana ambos niños, cada uno en su casa, habían tenido lo que ella describió como «una pequeña riña».

—La señora Platt me ha dicho que Samantha estuvo muy descarada, igual que nuestro Jack. ¡Críos! Se buscan una regañina, luego se enfurruñan e intentan castigarnos fingiendo que desaparecen. Y, por supuesto, cuando se juntan los dos sólo se puede esperar el doble de problemas. Bah, estoy segura de que tiene mejores cosas que hacer que preocuparse por esos dos. Volverán en cuanto estén realmente hambrientos.

El agente Lewis preguntó a qué se habían debido las riñas y la señora Butler afirmó que «a tonterías». Todo se reducía a que los niños no escuchaban. Le había dicho a Jack

que se cambiase de camiseta, pero él replicó que no lo había oído y luego se puso muy impertinente con el tema. En cuanto a Samantha, le habían dicho que no podía ir a casa de una amiga, pero ella no atendía a razones y al final salió volando toda enfadada.

¿Qué amiga era ésa?, quiso saber el agente, pero la señora Butler no pudo decírselo. Alguien nuevo, creía ella; alguien que vivía muy lejos, motivo por el cual no dejaban ir a Sam, y con razón.

Como no deseaba alarmar a la señora Butler, el agente no mencionó el perro herido ni dejó entrever que se estaba tomando la desaparición en serio. A continuación paró en casa de los Platt, donde consiguió la dirección de Amanda gracias a la madre de Sam.

—¿Cree usted que Samantha y Jack han podido irse hasta allí solos? —le preguntó el policía a la mujer.

—¡Claro que no! —le aseguró la señora Platt—. Nunca lo lograrían. Está a casi treinta y dos kilómetros de aquí y ni siquiera saben cómo llegar. Yo iba a llevarla en coche, no es un sitio fácil de encontrar, la casa está en pleno campo. Además, Billy le dijo que no, y nuestra Sam no se atrevería a desobedecer a Billy.

El agente no estaba muy convencido. En su trabajo tropezaba cada día con la desobediencia, en cualquiera de sus formas. Y ya que el único delito sobresaliente que había en ese momento en su jurisdicción era el robo de una escoba, decidió coger el coche y dirigirse hacia la casa de Amanda, por si acaso. Quizá descubriese a los niños tratando de llegar andando o (¡lo que sería mucho más preocupante!) tratando de hacer autostop. Además, tal vez el joven Jack estuviera en lo cierto y al fin y al cabo hubiese ladrones. Si los había, perseguirlos no era tarea de un par niños, desde luego. Era suya y, para variar, resultaría muy agradable hincarle el diente a un verdadero delito.

9. Un encuentro afortunado

EN cuanto Jack reconoció a Baz se alejó de la cabina, pero no lo bastante rápido. El hombre lo cogió por un brazo.

—No funciona —anunció Baz indignado, dejando que el auricular resbalase de su mano ensangrentada—, así que vas a tener que ayudarme. ¿Vives por aquí?

—¡No, él no, pero yo sí! —gritó Amanda, corriendo al rescate—. Y puedo avisar enseguida a mi padre y a mis dos hermanos mayores, así que más vale que lo suelte.

Ignorando aquella amenaza, Baz les contó que necesitaba un teléfono urgentemente. Debía pedir ayuda para una anciana que estaba herida en una casa de la carretera.

Creía que se había caído por las escaleras. Como en su casa no había teléfono, Baz había conducido hasta allí para llamar a una ambulancia, pero, obviamente, unos gamberros se le habían adelantado.

—¡Se refiere a la señora Pickering! —gritó Amanda, horrorizada al pensar en las heridas de la anciana—. Podemos llamar desde mi casa; no está muy lejos.

—¡Venga, entonces vamos todos en mi furgoneta! ¡No hay tiempo que perder!

—¡Y una porra! —chilló Jack.

Nada lo obligaría a volver a entrar en aquella furgoneta.

—Nosotros no nos subimos en coches de desconocidos —le dijo Sam a Baz.

«Y menos en los de ladrones y posibles asesinos», añadió para sus adentros.

Amanda le explicó al hombre que en el bosque había un atajo y que por él llegarían antes que si iban en la furgoneta por carretera.

—¡No tardaremos nada! —gritó, corriendo con sus amigos entre los árboles antes de que Baz pudiera protestar.

—Apuesto a que él mismo estropeó el teléfono para que nadie pudiera echarles encima a la policía —apuntó Jack.

—O estaba llamando a un cómplice y quería deshacerse de nosotros —replicó Sam.

—No, eso no; ¿acaso iba a dejarnos libres para que fuésemos a chivarnos a la policía?

—¿Tú crees que de verdad la ha matado?

—Reservad el aliento para correr —les dijo Amanda entre jadeos—. ¡Saldremos a la carretera dentro de nada y entonces tendremos que movernos muy, muy rápido! Aunque con un poco de suerte, Baz no mirará hacia allí. Se imaginará que continuamos en el bosque.

«Pero, ¿y si nos está siguiendo ahora mismo?», se preguntó Sam.

Jack, por su parte, pensaba que Baz no se arriesgaría a acercarse a la casa de Amanda para enfrentarse a su padre y sus dos hermanos mayores. Lo que él ignoraba es que Amanda no tenía hermanos y que su padre estaba trabajando a muchos kilómetros de allí. Además, su madre se había ido a ver a una ami-

ga, así que la casa estaba completamente vacía. Amanda llevaba una llave al cuello, colgada de una cadena, y un buen farol por si Baz descubría el engaño.

—Probablemente vuelva a casa de la señora Pickering para recoger a Vic, que ya la habrá saqueado —declaró Jack.

—Bueno, confío en que consigamos ayuda y que los atrapen antes de que se larguen —repuso Sam.

—Y que salven a la señora Pickering —añadió Amanda.

Como luego se comprobó, los niños no tenían que haberse preocupado por nada. Poco después de llegar de nuevo a la carretera, un coche patrulla se detuvo a su lado. El hombre que conducía era el agente Lewis.

10. Las cosas no siempre son lo que parecen

EL coche del agente Lewis, en cuyo asiento trasero iban los tres niños bien apretados en un extremo, frenó tras la furgoneta blanca que estaba aparcada delante de la casa de la señora Pickering. A través de su teléfono móvil, el oficial había pedido refuerzos policiales y había llamado a una ambulancia, que ya iba de camino. El agente ordenó a los niños que se quedasen en el coche, bajó de un salto y llamó a la puerta.

—¡Policía! ¡Abran inmediatamente!

Le abrió Vic, que lo recibió muy aliviada.

—¡Qué rapidez! —gritó, retrocediendo para dejarlo pasar—. ¡Cómo me alegro de verlo! No sabíamos qué hacer —la anciana estaba inconsciente, tumbada al pie de las escaleras con la mano en un gran charco de sangre—. Así estaba cuando llegamos. No nos hemos atrevido a moverla.

—¡Una buena medida, sí! —afirmó el agente, arrodillándose junto a la anciana y encontrando, aliviado, su pulso—. Dentro de un momento vendrá una ambulancia.

De pronto, Baz surgió de la cocina secándose las manos.

—Deberían asegurarse de que los teléfonos públicos funcionen —le dijo al agente—. Una simple llamada puede significar la vida o la muerte.

El agente Lewis les explicó que aquélla no era su jurisdicción; que pasaba por allí casualmente. Pero prometió mencionarle la cuestión al oficial local cuando éste se presentase.

—Ahora, señor, le rogaría que me pusiese al día, por favor. En primer lugar, ¿cómo han entrado en esta casa?

—La hemos asaltado —admitió Baz—. Llamamos al timbre, pero como nadie con-

testaba miramos por la ventana. Verá, teníamos una cita, así que sabíamos que la señora estaba en casa.

—Llegamos un poco tarde —añadió Vic—, porque nos paramos para curar a un perro herido que encontramos por el camino, pero pensamos que ella nos esperaría. Entonces la vimos tirada al pie de las escaleras. Así que Baz cogió una piedra y rompió el cristal de la puerta. Nosotros pagaremos todos los daños, por supuesto.

—¿Encontraron ustedes un perro?

El agente Lewis estaba empezando a atar cabos, aunque todavía no sabía qué nudo aparecería.

—Sí —afirmó Baz—, estaba tirado en la carretera, al parecer porque lo había atropellado un coche. Pensamos que pertenecería a una granja que vimos cerca de donde lo encontramos. Creo que es la granja Smart. Tardamos bastante en atravesar un enorme barrizal para llegar allí y preguntar, pero no había nadie.

—Cuando volvimos de la granja el perro

se había desvanecido —continuó Vic—. Aún no hemos averiguado cómo se escapó.

«Obviamente, el animal es Cameron», pensó el agente, que comenzaba a creer que aquellos dos no eran unos delincuentes. ¡Si hubiera sido más listo y no hubiera escuchado a esos críos...! ¡Vaya cuento que le habían endosado en el coche! ¡Secuestro de perro, robo y asesinato! ¡Ja, menudo disparate!

—¿Son ustedes parientes de la señora?

Vic le contó que no la conocían y que habían ido a la casa en respuesta a un anuncio. Querían comprar el ordenador de la anciana.

¡Un momento! Aquello sí que sonaba raro. ¿La señora Pickering con un ordenador? Pero muchas veces la verdad es más extraña que la ficción. Resultó que un sobrino de la señora Pickering se había marchado recientemente a Nueva Zelanda, dejándole a su tía varias cosas que quería vender. Una de ellas era un ordenador, y Baz se había empeñado en que su mujer, Vic, lo comprase.

Vic era una profesora muy inexperta en el mundo de la informática, y Baz había logrado convencerla de que tener su propio ordenador era la mejor forma de «asaltar» las nuevas tecnologías mientras el colegio estaba cerrado por vacaciones.

—¡Lo que necesitas es perderle el miedo!

Él le prometió que la ayudaría a aprender para que, cuando comenzara el curso, supiese tanto como sus alumnos.

—El anuncio ha resultado providencial para la señora —añadió Vic—, porque si no nos hubiéramos presentado en su casa y no la hubiésemos descubierto, se podría haber quedado aquí tirada durante varios días. Podría haber muerto. Pero aquí llega la ambulancia.

La tarde estaba ya muy avanzada cuando el agente Lewis llevó a los niños a sus casas. Primero dejó a Amanda. Para entonces la señora Ross ya había vuelto y les sirvió unos refrescos. Jack y Sam le cayeron bien enseguida, y pensó que serían una buena compañía para Amanda, que no tenía muchos amigos cerca. Por tanto, se ofreció a ir a buscarlos para que pasasen un día con su hija. Es más, los invitó a ir durante las vacaciones, todas las semanas si les apetecía.

—Yo iré a buscaros, así vuestros padres no tendrán que preocuparse por el viaje —replicó después de oír el lamento de Sam.

—Billy no es mi padre —murmuró la niña.

Pero se quedó encantada al darse cuenta de que Billy no tendría más remedio que rendirse ante el interés de la señora Ross. De hecho, estaba deseando ver la cara que pondría cuando la madre de Amanda apareciera en la puerta de su casa. Y por si fuera poco, el ordenador del colegio estaba a salvo. ¡La vida mejoraba por momentos!

En cuanto a Jack, se vio obligado a admitir que había oído campanas sin saber dónde, como el agente Lewis había predicho.

«¡Esto es lo que ocurre por escuchar!», pensó indignado. Y a pesar del malentendido, sin duda su madre seguiría quejándose de que él nunca escuchaba. Pues en el futuro se quejaría con razón; porque en ese preciso momento, Jack Butler decidió que, en lo sucesivo, aparte de a sus amigos, sólo oiría la televisión, su *walkman* y su armónica.

—Y en el colegio, ¿qué? —terció Sam.

Pero a Jack aquella pregunta le entró por un oído y le salió por el otro.

Índice

COLECCIÓN **ALA DELTA INTERNACIONAL**

Serie roja. A partir de 5 años

1. *La bruja del gato.* KARA MAY.
2. *El viejo gruñón.* PASCAL GARNIER.
9. *El hijo del pirata.* MICHEL AMELIN.
17. *Miss mundo de las brujas.* CLAIR ARTHUR.
18. *La extraordinaria historia del señor Calabaza.* ROBERT BOUDET.
23. *La bruja del gato y el mago.* KARA MAY.

Serie azul. A partir de 8 años

3. *Me llamo Drácula.* OLIVIER COHEN.
4. *Un caimán para toda la vida.* FRANÇOIS ZABALETA.
10. *Historias de la historia de un pingüino.* CHRISTINE NÖSTLINGER.
11. *Locos por el fútbol.* FANNY JOLY.
12. *¡Vaya regalo!* CLAUDE CARRÉ.
19. *Escuela de brujería.* PAUL THIÈS.
24. *Una cuestión de oído.* HAZEL TOWSON.
25. *La chica más popular del mundo.* JACQUES SAVOIE.

Serie verde. A partir de 10 años

5. *Chucho chungo.* DANIEL PENNAC.
6. *El proyecto bebé.* SARAH ELLIS.
13. *¡Qué duro es ser* top model! MICHEL AMELIN.
14. *El ojo del lobo.* DANIEL PENNAC.
20. *El día de todas las mentiras.* HUBERT BEN KEMOUN.
21. *¡Socorro! ¡Soy invisible!* GUDULE.
26. *Está bien.* PHILIPPE DELERM.

Serie marrón. A partir de 12 años

7. *Un tren infernal.* MICHEL AMELIN.
8. *Direcciones prohibidas o la gata azul turquesa.* JOHANNES FRIEDMANN.
15. *Wetti y Babs.* CHRISTINE NÖSTLINGER.

16. *Chico*. R. H. Schoemans.
22. *Al borde del área*. Philippe Delerm.

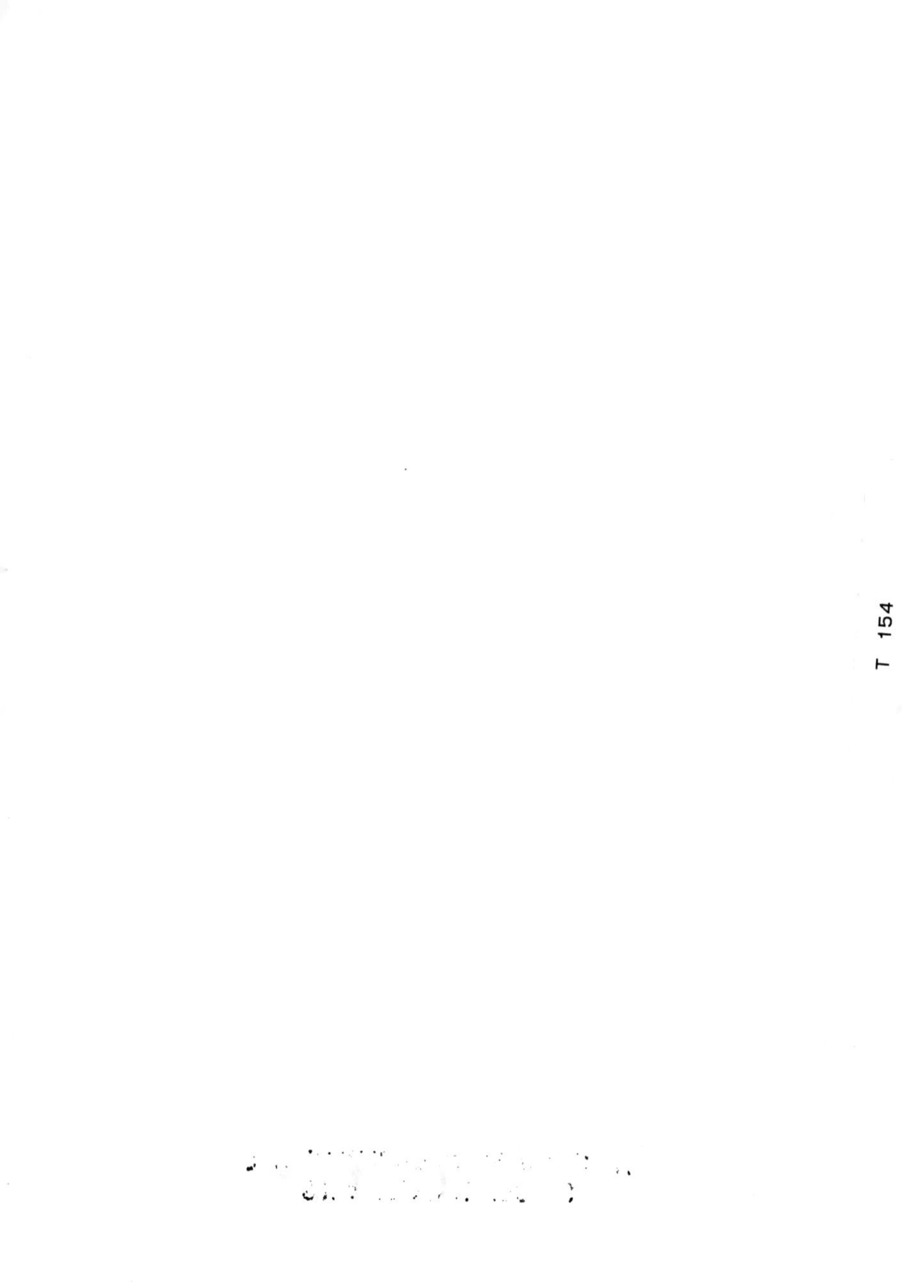
T 154